L'HISTOIRE
DE LA JOURNEE D'HIER

D0587089

Collection Point de Retour
sous la direction de Gérard Conio

Léon Tolstoï

L'histoire
de la journée
d'hier

Traduit du russe
par André Markowicz

Préface de Gérard Conio

ALINEA

PREFACE

L'histoire de la journée d'hier est le tout premier essai littéraire de Tolstoï. Dans son Journal du 24 mars 1851, celui-ci note son intention « d'écrire la journée d'aujourd'hui avec toutes les impressions et les pensées qu'elle engendre », mais il interrompra rapidement cette expérience pour se consacrer à ce qui sera le premier volet de son autobiographie et sa première œuvre publiée et reconnue : *Enfance*. Une édition séparée de ces pages inachevées se justifie par la place singulière qu'elles occupent non seulement dans l'œuvre de Tolstoï, mais dans l'histoire de la littérature moderne et entre parfaitement dans le cadre d'une collection qui se donne pour objectif non seulement de découvrir des auteurs nouveaux et inconnus, mais aussi d'éclairer des pans inexplorés de l'héritage des grands écrivains du passé. Tel est le cas de ce texte qui, jusqu'à nos jours reste ignoré du commun des lecteurs. Cet oubli est, certes, à l'origine, imputable à l'auteur lui-même qui le jugea indigne d'être publié et ne revint jamais sur ce verdict. Si cette sévérité de Tolstoï à l'égard de ses premiers balbutiements dans la création littéraire s'explique par des raisons qui relèvent de sa doctrine et ont trait à son évolution, elle ne doit pourtant pas nous abuser ni nous masquer l'intérêt et l'importance de ce qui a été perçu par quelques chercheurs perspicaces comme la première ébauche de monologue intérieur de l'histoire de la littérature, une forme que Joyce mènera à l'accomplissement que l'on sait.

L'attitude de Tolstoï a suscité des commentaires qui nous mènent au cœur d'un débat esthétique et idéologique autour duquel gravite toute la littérature russe depuis la fin du siècle dernier. Entreprise dans les années soixante par les tenants du nihilisme qui préféraient une paire de bottes à la Joconde, prolongée par le conflit qui opposa plus tard les réalistes aux modernistes, cette discussion sur le sens et la finalité de l'art recevra une contribution essentielle avec le livre dans lequel Tolstoï a résumé ses idées artistiques : *Qu'est-ce que l'art ?* (1899). Les thèses les plus outrancières de ce traité seront reprises et transposées dans un tout autre contexte par les partisans du réalisme socialiste. Rien d'étonnant dès lors que l'un des meilleurs connaisseurs de l'œuvre de Tolstoï, le critique Victor Chklovski, l'un des fondateurs (alors repenti) de l'école formaliste, fasse au moins semblant, en 1938, en pleine terreur stalinienne, en analysant *L'histoire de la journée d'hier,* d'opposer Tolstoï à Joyce et de récupérer, avec son ambiguïté coutumière, l'abandon par le grand romancier « réaliste » d'un procédé qui fécondera la grande littérature du XXe siècle. Voici ce que Chklovski écrivait dans un ouvrage intitulé, par antiphrase, *Dnievnik* (Journal).

« Chez nous, on s'est entiché de Joyce. Tolstoï avait écrit, avant *Enfance,* une œuvre qu'il avait appelée *L'histoire de la journée d'hier.* Elle n'avait encore jamais été publiée et vient seulement de paraître pour la première fois dans les additifs au premier volume des Oeuvres Complètes. Tolstoï a construit ce texte sur le dialogue intérieur. Il n'a décrit que quelques heures de sa vie, mais cela tient déjà beaucoup de place. Il a utilisé l'entrecroisement de divers plans, entre autres, l'opposition sémantique de registres linguistiques différents (...). Le génial écrivain a inventé et répudié ce qu'a fait plus tard un autre écrivain. L'œuvre de Joyce avance comme un aveugle le long d'un mur, le long du sujet transformé des pérégrinations d'Ulysse. Les choses du monde extérieur sont supprimées. La conscience séparée ne sert plus de moyen de vérification du monde, elle devient elle-même le contenu de l'œuvre d'art. Mais elle ne peut exister et avancer qu'en s'appuyant sur l'art antérieur, sur la destruction de celui-ci. »

Ainsi, la découverte tardive de ce texte expérimental, au moment où la ligne générale s'instaurait dans la littérature, apportait une pièce de plus au procès que l'on dressait au nom du réalisme aux tendances formalistes et modernistes qui avaient triomphé dans la période précédente. Dans le contexte de cette nouvelle querelle des classiques et des modernes, on salue moins l'invention géniale que la sagesse d'avoir renoncé à temps à une voie que Chklovski, renégat du formalisme, présentait désormais comme une impasse, en soutenant la thèse qu'en se contentant de parodier l'art ancien, les formalistes n'avaient rien su créer de nouveau ni de grand. Il compare l'œuvre de Joyce à un vieillard avançant sur des béquilles : « Les vieux sujets la soutiennent et elle avance en s'appuyant sur l'ombre de l'art antérieur ». Alors que la parodie était exaltée, la veille, comme un procédé novateur et fécond, elle devient la preuve de l'impuissance des « modernes » à produire l'art que demande leur temps. La mise en cause de la parodie n'était qu'un moyen habile d'aborder indirectement les vrais problèmes posés par le fragment de Tolstoï et qui concernent une notion fondamentale dans la théorie littéraire russe, celle du « sujet » [1]. *L'histoire de la journée d'hier* est, en effet, le premier monologue intérieur (au sens moderne) de la prose romanesque, c'est aussi la première tentative de créer une œuvre d'art littéraire sans sujet, en sortant des conventions auxquelles, jusqu'alors, on identifiait la littérature. Alors que, vers la fin des années vingt, il avait déclaré que l'écrivain

---

1. Emprunté, bien entendu, au français, le mot « sujet » a pris en russe une signification beaucoup plus englobante, plus névralgique, plus capitale. Il ne désigne pas seulement l'argument d'une histoire, mais sa structure et sa trame. C'est un mot-clé de la théorie littéraire.

devait se tourner vers le montage des faits et se libérer de la tyrannie des sujets dont le répertoire, désormais épuisé, était un lit de Procuste pour l'invention artistique, Chklovski, à présent, faisait son auto-critique : « En nous appuyant sur les ombres d'un autre monde que celui qui nous entoure, nous avons essayé de représenter notre monde avec les hiéroglyphes des choses (...) Le grand art, c'est l'art des contraintes, c'est l'art des motivations réalistes (...) *Alexandre Nevski* est un phénomène artistique plus révolutionnaire que les œuvres d'Eisenstein qui n'avaient pas de sujet et n'étaient que des « prétextes à spectacle » (...) La lutte contre le formalisme, c'est la lutte pour le monde sensible, pour la méthode comme méthode et non comme contenu de l'art (...) Nous devons nous libérer du formalisme, de la phrase du jour d'aujourd'hui qui cesse d'être vraie dès qu'elle vient d'être prononcée, nous devons nous habituer au langage de l'héroïsme... »

En assimilant le formalisme à la « phrase du jour d'aujourd'hui », dont la banalité stérile est opposée au « langage de l'hé-roïsme », Chklovski se référait, bien entendu, à l'expérience avortée de Tolstoï, mais il montrait innocemment (?) du doigt la conception curieuse, réductrice et mystificatrice, que les censeurs staliniens se faisaient du réalisme.

Car si le réalisme correspond au désir d'appréhender au plus près par l'écriture la vérité mouvante de la réalité, de notre réalité intérieure, dans sa fluidité, dans son instantanéité et sa complexité, *L'histoire de la journée d'hier* se situe à l'extrême pointe de cette ambition. Là sans doute où Chklovski rejoint les scrupules de Tolstoï, c'est lorsqu'il incrimine cette démarche de myopie égocentriste. Le premier Tolstoï est mû essentiellement par des motivations autobiographiques liées à des préoccupations socratiques : se connaître mieux pour travailler à son perfectionnement moral, et l'agrandissement (au sens photographique) des menus détails de la vie, l'extraordinaire rétrécissement du champ du « sujet » annoncent davantage les œuvres phares de la littérature de notre temps que les grands romans épiques qui feront sa gloire. Le projet abandonné de l'œuvre qui nous occupe recoupe plus exactement celui d'*Ulysse,* mais *Enfance* raconte une journée passée à la campagne et une journée à Moscou, *Sébastopol*

11

en mai embrasse une seule nuit, de même que *Après le bal,* et *La matinée du hobereau,* comme le titre l'indique, un seul matin. Cette dilatation du temps est liée à une exploration infatigable de la matière foisonnante et invisible qui compose l'ordinaire d'une existence. Aux faux sujets fictifs des histoires que l'on invente, Tolstoï, comme, après lui, Tchékhov, préfère la vie elle-même qui doit constituer désormais pour lui le vrai sujet de la littérature.

Pourtant, déjà, dans la trilogie autobiographique, Tolstoï élargit son champ de vision et ouvre son parcours introspectif sur des considérations philosophiques et morales. On doit voir dans son refus de continuer son *Histoire de la journée d'hier* le premier pas vers une mutation qui s'accomplira à l'issue de la crise de 1857 lorsque le choc reçu à la lecture de *L'Iliade* le pousse à renoncer à son « ancienne méthode d'écriture » essentiellement axée sur l'analyse psychologique et à réécrire son roman *Les cosaques* pour harmoniser la peinture du monde intérieur avec la représentation épique de la vie collective et passer du tableau intimiste à la fresque historique et sociale.

Certes, on peut constater un parallélisme entre l'évolution de Tolstoï vers la fiction et la grande forme romanesque et celle des écrivains et des artistes des années vingt marquée par un retour massif au « sujet ». Mais on ne saurait assimiler le reniement d'Eisenstein, qui, la mort dans l'âme, se voit obligé d'abandonner le film de montage pour revenir vers des conventions qu'il estimait dépassées, à la volte-face du jeune Tolstoï qui, comme effrayé par sa propre audace, renonce à s'attacher exclusivement à l'analyse « moléculaire »[2] du flux de la vie intérieure pour adopter une forme narrative plus construite et déjà à mi-chemin entre la vérité fugace du vécu et l'élaboration romanesque. Il s'agit, dans un cas, d'une régression imposée par les « circonstances », dans l'autre, d'une libre décision d'un écrivain qui se cherche encore. Il s'agit bien pourtant ici et là d'un même enjeu : la nature, la destination et jusqu'à l'existence de l'art.

Nous lisons ce qui n'était en fait pour Tolstoï

---

2. J'ai emprunté cette expression au remarquable ouvrage de V. Lakchine - *Tolstoï et Tchékhov* (Sov. Pisatiel - Moscou - 1975) inédit en français.

qu'un brouillon de son œuvre future à travers les échos suscités par notre culture « moderne » et dans le flot brut et cacophonique de cet enregistrement d'un courant de conscience d'une journée ordinaire, nous pressentons les digressions lyriques et triviales de Molly, les ressassements des monologues de Virginia Woolf, voire les sous-conversations et les tropismes chers à Nathalie Sarraute, et nous sommes éblouis d'apprendre qu'avant d'être Tolstoï, Tolstoï annonçait Joyce. Mais il est plus probant de replacer cette ébauche dans le contexte des problèmes qui se posait à Tolstoï et à la littérature de son temps. Ce court récit qui n'obéit à d'autres contraintes et à d'autres critères que l'adéquation la plus fidèle à une réalité saisie dans son devenir correspond à une forme et à une étape intermédiaire entre le Journal que Tolstoï rédige depuis 1847 et l'autobiographie romancée qui va bientôt constituer ses débuts officiels dans la littérature. Mais c'est beaucoup plus que cela et on peut y déceler, à l'analyse, une sorte de laboratoire microcosmique de la poétique de l'auteur d'*Anna Karénine.*

Si Tolstoï refuse d'identifier le genre

romanesque à un procédé qu'il ne souhaitait pas sacraliser, il ne garda pas moins celui-ci en réserve et saura s'en servir par la suite dans ses grands romans, dans *Guerre et Paix,* parsemée de fascinants monologues intérieurs (ceux de Pierre, du Prince André) et surtout dans les pages précédant la mort d'Anna Karénine, que Nabokov considérait comme les plus géniales du plus grand chef-d'œuvre de la littérature russe [3].

Opposant Tolstoï à Tolstoï, Chklovski citait encore dans son *Dnievnik* la parabole suivante :

« Tolstoï a raconté que, comme il ne comprenait pas ce qu'un homme était en train de faire avec une pierre, il s'est approché de plus près et s'est alors aperçu que l'homme aiguisait sur cette pierre un couteau. Ce n'était pas d'une pierre dont cet homme avait besoin, mais d'un couteau aiguisé. Nous n'avons pas besoin de percevoir une méthode, de souligner nos efforts pour maîtriser le matériau, de nous arrêter sur les moyens d'expression, mais de percevoir le monde,

---

3. Vladimir Nabokov, *Cours de littérature russe* (Arthème Fayard).

nous avons besoin d'une perception cohérente du monde. »

Ce prudent refus de conduire les fins et le moyen nous explique en partie la défiance de Tolstoï envers une orientation qu'il jugeait trop unilatérale. Mais la théorie de la littérature, écartelée sans trêve entre la forme et le sens, entre la vérité et l'illusion, entre la vie et l'art, entre le document et la fiction, entre l'idéologie et l'esthétique, est un serpent qui se mord la queue. C'est dans *Qu'est-ce que l'art ?* ouvrage dans lequel il s'interroge avec scepticisme sur la fonction de l'art dans la vie, que Tolstoï a justifié sa tentative de faire une œuvre sans « sujet » quand, citant le cas d'un astronome capable de disserter sur l'analyse spectrale de la Voie Lactée mais incapable d'expliquer le mouvement de la terre ou l'alternance du jour et de la nuit, il ajoutait :

« Il en est de même de l'art, il est plus facile de faire un poème en vers sur l'histoire de Cléopâtre ou un tableau montrant Néron incendiant Rome que de raconter une simple histoire sans rien de saillant, mais rien de superflu. » Et l'on peut se demander si cette remarque plaide en faveur de l'art comme instrument de connaissance, c'est-à-dire, en fait, ramène la littérature au document, au simple enregistrement des faits, et annonce le slogan productiviste de la « mort de l'art », ou si elle indique le seul moyen de sortir la littérature de l'ornière de l'académisme en permettant le renouvellement des procédés, donc, plaide pour l'avenir de l'art pur. Tchékhov fera écho à Tolstoï, quand il dira : « Nous n'avons pas besoin de sujets. Dans la vie, il n'y a pas de sujet... »[4] Mais si Tolstoï admirait en Tchékhov un maître de la forme, il déplorait l'absence d'engagement idéologique et moral de son œuvre, qu'il trouvait vide, sans contenu. On peut se demander, alors, si, dans son esprit, cette absence de contenu ne s'identifiait pas à l'absence de sujet. Pourtant, on a pu dire des œuvres de Tolstoï les plus directement inspirées de la réalité, non seulement la trilogie, mais même le Journal, que c'était avant tout des ensembles organiques, autonomes : des œuvres d'art.

Et c'est le Tolstoï artiste qui a, sans doute,

---

4. Témoignage de Potapenko, dans *Tchékhov dans les souvenirs de ses contemporains,* Moscou, 1960, inédit en français (d'après Lakchine, ouvrage cité, p. 158).

le mieux réfuté le Tolstoï moraliste et doctrinaire, quand il a écrit dans ses carnets de notes :

« La littérature était une page blanche, cette page est à présent entièrement remplie. Il faut ou la retourner ou en prendre une autre. »

C'est pour répondre à cette exigence que l'auteur de *L'histoire de la journée d'hier* a exploré un nouveau « sujet » : la matière même du temps et de la vie ». Il ébaucha ainsi — selon les mots de Vladimir Jankélévitch — « un roman de l'infinitésimal ».[5]

Gérard Conio

5. Vladimir Jankélévich, *L'irréversible et la nostalgie*, p. 53.

Si j'écris l'histoire de la journée d'hier, ce n'est pas que la journée d'hier ait été remarquable, disons plutôt qu'elle ait pu être appelée remarquable, c'est que, depuis longtemps, je voulais raconter le côté intérieur de la vie d'une journée. Dieu seul peut savoir quelle foisonnante, quelle passionnante multitude d'impressions et de pensées surgies de ces impressions, sombres et obscures, sans doute, mais claires pour notre âme, nous traverse en l'espace d'une seule journée. S'il était possible de les raconter assez bien pour que je puisse me lire moi-même sans encombre et que les autres me lisent autant que moi, il en sortirait un livre plein d'intérêt et d'enseignement, si long que toute l'encre et tous les typographes du monde n'y suffiraient pas à l'imprimer. Sous quelque aspect qu'on examine l'âme humaine, on découvre l'infini partout, et c'est le début de spéculations sans fin, qui mènent invariablement nulle part, et qui m'effraient. Au fait.

Hier, je me suis levé tard, à 10 heures moins le quart, et cela parce que je me suis couché après minuit ; (Je me suis depuis longtemps donné comme règle de ne jamais me coucher après minuit, ce qui n'empêche que cela m'arrive au moins trois fois par semaine) ; du reste, il est certaines circonstances où je me sens moins criminel que fautif ; ces circonstances sont multiples ; voici ce qu'elles étaient hier.

Ici, je demande pardon d'être obligé de parler d'avant-hier ; on connaît bien des romanciers qui suivent sur des pages et des pages les arbres généalogiques de leurs héros.

Je jouais aux cartes ; pas le moins du monde par passion pour le jeu, comme on aurait pu le croire ; autant par passion pour le jeu que celui qui danse la polka le fait par passion pour la promenade. J.-J. Rousseau, au nombre de ses idées que personne ne voulut recevoir, proposait de jouer au bilboquet en société, afin que les mains aient une occupation ; mais cela ne suffit pas : en société, il faut aussi que la tête soit occupée, ou, à tout le moins qu'elle soit occupée de façon à pouvoir parler ou se taire. Cette occupation, nous l'avons inventée, c'est les jeux de cartes.

Les gens du siècle passé se plaignent de ce que la conversation n'existe plus de nos jours. Je ne sais ce qu'étaient les gens du siècle passé (ils ont toujours été pareils, me semble-t-il), mais il est impossible qu'une conversation puisse exister. La conversation en tant qu'occupation est une lubie des plus stupides. Ce n'est pas le manque d'intelligence qui empêche la conversation, c'est l'égoïsme. Chacun veut parler de soi ou de ce qui l'occupe lui-même ; s'il en est un qui parle, c'est que l'autre écoute, et la conversation se transforme en sermon. Que deux hommes, occupés par la même chose, viennent même à se rencontrer, il en suffira d'un troisième pour gâcher toute l'affaire ; il voudra s'y mêler, on devra bien essayer de lui faire une place, et voilà votre conversation à l'eau.

Il existe aussi des conversations entre des gens occupés par la même chose et que personne ne dérange, mais là, c'est encore pire : chacun parle d'après son propre point de vue, transforme tout, mesure tout à ses propres mesures, et plus la conversation se prolonge, plus les points de vue s'éloignent, jusqu'à ce que chacun se rende compte qu'il ne parle plus mais qu'il prononce un sermon avec une liberté inaccessible à tout autre que lui, pendant que l'autre, loin de l'écouter, fait exactement la même chose. Avez-vous fait rouler des œufs pendant la Semaine Sainte ? Laissez rouler deux œufs semblables sur une même planchette, les petits bouts orientés de côtés opposés. Ils commenceront par rouler dans la même direction, puis chacun déviera du côté du petit bout. Il existe, pour les conversations comme pour les œufs de Pâques, des balourds qui déboulent à grand fracas et s'arrêtent vite ; il en existe d'autres, au nez pointu, qui peuvent rouler jusqu'au diable-vauvert, mais on ne trouvera pas deux œufs, à l'exception des balourds, pour rouler dans la même direction. A chacun sa pente.

Je ne parle pas de ces conversations qui se parlent simplement parce qu'il serait impoli de ne pas parler, comme il serait impoli de ne pas porter de cravate. L'un des deux côtés pense : vous savez bien que je n'ai absolument rien à faire de ce que je dis ; l'autre lui répond : parle toujours, mon pauvre vieux, je sais bien que c'est indispensable.

Cela n'est plus de la conversation ; c'est la même chose que le queue-de-pie, les cartes de visite et les gants : une affaire de bienséance.

Voilà pourquoi je dis que les cartes sont une bonne invention. Tout en jouant, il n'est pas non plus interdit de parler, de flatter son amour-propre, de sortir un bon mot, sans être obligé de ne faire que cela, comme dans les sociétés où seules les conversations sont permises.

Il faut bien garder sa concentration pour le dernier tour pendant qu'on prend son chapeau : c'est là qu'il faut vider toutes ses réserves. Comme un cheval à un concours. Sinon, on paraît pâle et pauvre ; et j'ai remarqué que des gens non seulement intelligents mais capables de briller dans le grand monde perdaient beaucoup, faute de savoir graduer leurs efforts. Lancez-vous sans réfléchir dans une conversation tant que cela vous intéresse, l'ennui venant, vous en arriverez même à ne plus avoir envie de répondre ; c'est cette dernière impression que vous laisserez en partant : « Comme il est lourd... » – voilà ce qu'on dira. Cela n'existe pas quand on joue aux cartes, on peut se taire sans se porter préjudice.

D'autant plus que les femmes (les jeunes) jouent aussi ; que pourrait-on vouloir de plus que de rester deux-trois heures aux côtés de cette femme. Et si cette femme est là, cela suffit au bonheur.

Ainsi donc, je jouais aux cartes, je m'asseyais à droite, à gauche, en face et je me trouvais bien partout.

Une telle occupation s'est prolongée jusqu'à minuit moins le quart. Nous avions fait trois robs. Pourquoi cette femme aime-t-elle autant (comme j'aimerais écrire ici « me voir » !) jouer à me troubler, même sans cela, je ne suis pas moi-même en sa présence ; soit j'ai l'impression d'avoir les mains mal lavées, soit d'être mal assis, soit mon petit bouton sur la joue, justement de son côté, me fait souffrir le martyr.

Du reste, il me semble qu'elle en est entièrement innocente : c'est moi qui ne suis pas dans mon assiette avec les gens que je n'aime pas ou que j'aime beaucoup. D'où cela me vient-il ? de ce qu'on veut montrer aux uns qu'on ne les aime pas et aux autres qu'on les aime, et que montrer ce qu'on veut est une chose bien difficile. Chez moi, tout ressort à l'envers ; vous voulez être froid, puis il vous semble que vous en faites trop et vous devenez trop familier avec des gens que vous aimez, que vous aimez de tout votre cœur, mais la pensée qu'ils pourraient penser que vous les aimez mal vous fait perdre pied et vous devenez tranchant et sec.

Pour moi, elle est une femme parce qu'elle possède toutes ces tendres qualités qui vous obligent à les aimer, ou plutôt à l'aimer elle, parce que je l'aime ; non parce qu'elle a pu appartenir à un homme. Cette idée-là ne me vient pas à l'esprit. Elle a cette mauvaise habitude de roucouler avec son mari devant les autres, mais de cela, je n'en ai rien à faire ; elle peut embrasser le poêle ou la table, si elle veut : elle joue avec son mari comme une hirondelle avec du duvet, parce qu'elle est gentille et que cela la rend gaie.

Elle est coquette ; non, elle n'est pas coquette, elle aime plaire, et même faire tourner les têtes ; je ne dis pas « coquette », parce que ce mot est méchant, du moins la notion qu'il représente. Appeler de la coquetterie le fait de montrer son corps dénudé et tromper en amour, ce n'est pas de la coquetterie, c'est de l'impudeur, de la bassesse. Voilà ; mais aimer gouverner et tourner les têtes, c'est si beau, cela ne fait de mal à personne, parce que les Werther n'existent pas et que cela procure, à soi comme aux autres, un plaisir innocent. Tenez, moi, par exemple, je suis parfaitement content de ce qu'elle me plaise et je ne veux rien d'autre. Et puis, il y a des coquetteries bêtes et des coquetteries intelligentes : la coquetterie intelligente est de celles que l'on ne remarque pas, où l'on ne peut attraper le malfaiteur en flagrant délit ; la coquetterie bête est le contraire : rien de caché, tout semble clamer haut et fort : « Je ne suis pas très belle, mais comme j'ai de jolies jambes ! Regardez, vous voyez comme elles sont belles ? » — « Vous avez peut-être de jolies jambes, mais je ne les ai pas remarquées parce que vous les montrez. » Celle qui est intelligente dit : « Cela m'est complètement égal que vous regardiez ou non ; j'ai chaud, j'ai ôté mon chapeau ». — « Je vois tout ». — « Et qu'est-ce que cela peut me faire ? ». Sa coquetterie à elle est innocente et intelligente.

J'ai regardé ma montre et je me suis levé. C'est étonnant : sauf dans les cas où je lui parle, je n'ai jamais vu son regard posé sur moi, mais elle voit quand même le moindre de mes gestes. « Ah, il a une montre rose ! » J'ai été très vexé qu'on trouvât que ma montre Bréguet était rose, cela m'a fait aussi mal que si l'on m'avait dit que je portais un gilet rose. Sans doute a-t-on pu voir que je m'étais troublé, parce que lorsque j'ai dit qu'au contraire, ma montre était très bien, elle s'est troublée à son tour. Sans doute a-t-elle regretté d'avoir dit quelque chose qui m'avait mis dans une position gênante. Nous avons compris tous les deux que c'était ridicule, et nous avons souri. Cela m'a fait bien plaisir, de nous troubler et de sourire ensemble. C'était idiot, mais nous étions ensemble. J'aime ces relations mystérieuses exprimées par un sourire imperceptible ou par les yeux, et qu'on ne peut expliquer. Non qu'on se comprenne mutuellement, mais chacun comprend que l'autre comprend qu'il le comprend, et ainsi de suite.

Voulait-elle mettre un terme à cette conversation qui m'était si douce, voulait-elle voir si j'allais refuser ou savoir si j'allais le faire, ou voulait-elle simplement jouer encore ? – elle regarda les chiffres inscrits sur la table, prit le morceau de craie et traça sur la table une de ces figures indéterminées dans les mathématiques comme dans l'art du dessin, regarda son mari, puis entre lui et moi. « Faisons encore trois robs ». J'étais tellement plongé dans la contemplation non de ces mouvements mais de tout ce qu'on appelle *le charme,* qu'on ne peut pas décrire, que mon imagination errait encore je ne sais où et n'a pas eu le temps de mouler mes mots dans une expression adéquate ; j'ai dit simplement : « Non, je ne peux pas ». A peine avais-je dit cela que j'ai commencé à m'en repentir, c'est-à-dire, pas moi tout entier, mais une certaine partie de moi-même. Il n'y a pas d'acte qui ne soit condamné par une quelconque partie de l'âme ; mais il s'en trouvera toujours une autre pour parler en sa faveur ; où est le mal si tu te couches après minuit, et sais-tu si tu pourras encore connaître une soirée si réussie ? Il faut croire que cette partie-là parlait avec une éloquence très convaincante (que je suis incapable de rendre), parce que j'ai eu peur et que je me suis mis à chercher des excuses. Premièrement, il n'y a pas beaucoup de plaisir, me suis-je dit : elle n'est pas du tout ton genre, et tu es dans une position gênante ; après, tu as déjà dit que tu ne pouvais pas, tu as beaucoup perdu dans son estime...

Comme il est aimable, ce jeune homme.

Cette phrase, qui avait suivi tout de suite, a

interrompu mes réflexions. Je me suis lancé dans toutes les excuses possibles, mais du fait que cela ne nécessite pas de penser, je continuais à méditer avec moi-même. Comme j'aime qu'elle parle de moi à la troisième personne. En allemand, c'est une grossièreté, mais j'aimerais cela même en allemand. Pourquoi ne me trouve-t-elle pas de nom convenable ? On voit bien qu'elle est gênée de m'appeler par mon nom et mon titre. Est-ce que ce ne serait pas parce que je suis... ? « Reste dîner », m'a dit le mari. J'étais tellement occupé par mes réflexions sur les formules à la troisième personne que je n'ai pas remarqué que mon corps s'excusait bien comme il faut de ne pouvoir rester, tout en reposant son chapeau et s'asseyant dans le fauteuil le plus tranquillement du monde. Il était clair que le côté intellectuel de mon être ne participait en rien à cette absurdité. Cela m'a profondément contrarié et je commençais déjà à me couvrir moi-même d'injures quand j'ai été distrait par un événement des plus plaisants. Avec une grande attention, elle a dessiné quelque chose que je n'ai pas pu déterminer, elle a levé la craie un petit peu plus haut qu'il ne fallait, l'a reposée sur la

table, puis, les mains appuyées contre le divan
où elle était assise et se poussant d'un coin à
l'autre, elle s'est reculée jusque sur le dossier
et a levé sa tête si adorable — une tête aux
contours du visage fins et presque ronds, avec
un petit nez étroit et tout pointu et une
bouche qui formait un tout avec ses yeux et
exprimait toujours quelque chose de nouveau.
Ce qu'elle exprimait cette minute-là, comment le dire ? On pouvait y lire quelque
chose de pensif, et une moquerie, et des nerfs
à fleur de peau, et un désir de se retenir de
rire, une importance, un caprice, de l'intelligence, de la bêtise, de la passion, de l'apathie
— Dieu sait encore ce qu'elle exprimait. Un
peu plus tard, le mari est sorti, donner des
ordres pour le dîner, sans doute.

Quand on me laisse tout seul avec elle, je
suis invariablement pris de panique et de
malaise. Quand j'accompagne du regard ceux
qui s'en vont, j'ai aussi mal que pendant la
cinquième figure : je vois ma dame qui passe
de l'autre côté, et moi, je dois rester tout seul.
Je suis sûr que lorsqu'il a vu les Saxons passer
à l'ennemi à Waterloo, Napoléon n'a pas eu
plus mal que moi lorsque, pendant ma
première jeunesse, je regardais cette cruelle

évolution. Dans des cas pareils, j'utilise le même moyen que pendant le quadrille : je fais comme si je ne remarquais pas que je suis seul et que la conversation que nous avions commencée avant son départ est achevée ; j'ai répété les derniers mots que j'avais dits, en ajoutant simplement : « c'est comme ça, sans doute », elle a répété les siens, en ajoutant : « oui ». Mais c'est ici qu'en même temps une autre conversation a commencé, qu'on n'entendait pas, celle-là.

Elle. Je sais pourquoi vous répétez ce que vous avez déjà dit : vous êtes mal à l'aise d'être tout seul et vous voyez que je suis mal à l'aise, et vous vous êtes mis à parler pour que nous nous paraissions occupés. Je vous remercie beaucoup pour cette attention, mais vous auriez pu dire quelque chose de plus intelligent. *Moi.* C'est vrai, votre remarque est juste, mais je ne sais pas pourquoi vous êtes mal à l'aise ; est-ce que vous pensez vraiment que si nous sommes seuls je vais me mettre à vous dire des choses qui vous seront désagréables ? Et pour prouver que je suis prêt à renoncer pour vous à mes plaisirs, si agréable que me soit notre conversation présente, je vais parler à voix haute. Ou commencez vous-même. *Elle.* Eh bien, commencez.

J'en étais seulement à mettre ma bouche en ordre pour dire une de ces phrases qui permettent de penser à une chose et de parler d'une autre, quand elle a entamé une conversation à voix haute qui aurait pu durer longtemps, sans doute ; mais dans une telle situation, les problèmes les plus passionnants tombent d'eux-mêmes, parce que *l'autre* conversation se poursuit. Après avoir prononcé une phrase dans chaque camp nous nous sommes tus, nous avons essayé de parler encore un peu, et nous nous sommes tus de nouveau. *L'autre conversation.*

Moi. Non, il est absolument impossible de parler, puisque je vois que vous êtes mal à l'aise, il vaudrait mieux que votre mari revienne.

Elle (à voix haute) : Laquais, où est Ivan Ivanovitch ? Demande-lui de venir. — Et si quelqu'un ne croyait pas que ces conversations secrètes puissent exister, en voici la preuve :

« Je suis très heureux que nous soyons seuls maintenant, — continuais-je à dire de la même façon, — je vous avais déjà fait remarquer que vous m'offensiez souvent par votre manque de confiance. Si mon pied touche sans le faire exprès le vôtre, si mignon, vous vous hâtez de vous excuser sans me laisser le temps de le faire quand je viens seulement de comprendre que c'était votre pied et que je veux m'excuser. Vous êtes plus rapide que moi, et vous pensez que je suis indélicat ».

Le mari est revenu. Nous sommes restés un peu ensemble, nous avons dîné, discuté et je suis rentré chez moi à minuit et demie.

En traîneau

Nous sommes au printemps, le 25 mars. La nuit est claire, calme ; on pouvait voir le jeune croissant de lune pointer en face, au-dessus du toit rouge d'une grande maison blanche ; la neige a presque entièrement fondu.

« Eh, X..., le traîneau !... »

Un de mes traîneaux de nuit était devant l'entrée et, même sans le laquais, Dmitri avait très bien entendu que je sortais parce qu'on entendait déjà le bruit de ses lèvres, comme s'il embrassait quelqu'un dans le noir, ce qui, d'après mes suppositions, devait avoir pour but d'obliger le petit cheval à faire bouger le traîneau sur les pavés de la chaussée, sur lesquels les patins grinçaient et crissaient désagréablement. Le traîneau est enfin arrivé à ma hauteur, le laquais prévenant m'a pris le coude et m'a amené m'asseoir ; s'il ne m'avait pas tenu, j'aurais vraiment sauté dans le traîneau, mais maintenant, pour ne pas l'offenser, j'y suis allé calmement, j'ai enfoncé la pellicule de glace d'une flaque d'eau et je me suis mouillé les pieds. « Merci, mon vieux. Dmitri, il gèle ou non ? » – « Comment ça serait-y possible ? Maintenant, il y aura que des petites gelées pendant la nuit ».

« Comme c'est idiot ! Pourquoi est-ce que je le demande ? » Non, ce n'est pas vrai, il n'y a rien d'idiot là-dedans : on a envie de parler, d'avoir un contact avec les gens, parce qu'on est de bonne humeur. Pourquoi suis-je de bonne humeur ? A une demi-heure près, si j'avais pris mon traîneau, je n'aurais pas dit un mot. Mais c'est parce que tu n'as pas parlé si mal que ça avant de partir, c'est parce que son mari est sorti te dire au revoir et t'a demandé : « Quand est-ce que nous te revoyons ? ». C'est parce que dès que le laquais t'a vu, il a bondi à ta rencontre et qu'il t'a aidé avec joie, malgré son odeur de persil. Un jour, je lui avais donné cinquante kopecks. Dans tous nos souvenirs, ce qui se passe au milieu disparaît ; nous ne gardons que la première et la dernière impression, surtout la dernière. Voilà pourquoi c'est une très belle habitude que le maître de maison sorte dire au revoir à son hôte devant la porte où, les jambes généralement entortillées, il ne peut pas ne pas lui dire quelque chose de gentil. Si proches que soient les relations, il ne faut pas mépriser cette règle. Ainsi, par exemple, « quand est-ce que nous te revoyons » ne signifie rien, mais l'amour-propre de l'invité le traduira ainsi, sans le vouloir :

Quand signifie : s'il te plaît, au plus vite ;

Nous signifie : moi et ma femme, à qui tes visites sont toujours agréables ;

Le *re* signifie : nous venons de passer une soirée ensemble, mais on ne s'ennuie jamais avec toi ;

Le *voyons* signifie : fais-nous encore ce plaisir.

Et c'est ainsi que l'hôte reste sur une impression fort agréable. De même, il est indispensable, surtout dans les maisons pas très nanties, où tous les laquais, et surtout le suisse (c'est lui le personnage essentiel, la première et la dernière impression) ne sont pas d'une courtoisie totale, de leur distribuer de l'argent. Ils vous accueillent et vous raccompagnent comme un familier, et l'on peut traduire ainsi leur empressement qui ne prend sa source que dans les cinquante kopecks : tout le monde vous aime et vous respecte, ici, c'est pour cela que nous nous efforçons de vous satisfaire, tout en satisfaisant nos maîtres. Peut-être n'y a-t-il que le domestique qui vous aime et vous respecte, mais c'est quand même agréable. Où est le drame si vous vous trompez ? Si l'on ne se trompait jamais, on ne ferait...

« Il est malade, ou quoi ?... Meerde ! »

Nous descendions je ne sais plus quel boulevard avec Dmitri, tout doux, tout doux, bien tranquilles, en gardant bien notre droite sur la glace quand, tout à coup, une espèce de « démon » (c'est le nom que Dmitri lui a donné après), nous rentre dedans avec un carrosse à deux chevaux. Nous nous dégageons et ce n'est qu'après une dizaine de pas que Dmitri me dit : « Spèce de démon, connaît même pas sa droite ! »

Ne croyez pas que Dmitri soit du genre timide et sans répondant. Non, au contraire, malgré sa petite taille et sa tête rasée (mais il a des moustaches), il a une conscience très nette de sa dignité et a toujours accompli son devoir avec promptitude, mais, en l'occurrence, deux circonstances ont été les causes de sa faiblesse.

1) Dmitri est habitué à conduire des équipages inspirant le respect, or, nous étions dans un tout petit traîneau de ville attelé à un cheval minuscule par des limons tellement longs qu'on avait du mal à l'atteindre même avec le fouet, et le cheval s'emmêlait tristement les pattes de derrière, ce qui aurait pu éveiller des moqueries chez des spectateurs étrangers ; cela explique que cette circonstance fût si pénible à Dmitri, au point d'anéantir son sens *(illisible)**.

2) Sans doute, ma question « est-ce qu'il gèle ? » lui a-t-elle rappelé des questions du même ordre pendant notre voyage d'automne. C'est un chasseur : un chasseur a de bonnes raison pour rêver et oublier d'injurier comme il faut un cocher qui ne tient pas sa droite. Chez les cochers, comme chez tout le monde, celui qui a raison est le plus prompt et le plus assuré à crier sur l'autre. Il existe des exceptions : par exemple, un paysan ne peut en aucun cas injurier un carrosse ; un tilbury, même le plus élégant, peut difficilement injurier un attelage à quatre ; du reste, tout dépend du caractère, des circonstances, et

_____

(*) Illisible dans le texte original (N.d.T.).

surtout, de la personnalité du cocher, de la direction dans laquelle on va. Une fois, à Toula, j'ai pu observer un exemple saisissant de l'influence qu'un homme décidé peut exercer sur les autres.

C'étaient les promenades de Mardi-Gras ; des traîneaux, à deux, à quatre chevaux, des carrosses, des trotteurs, des manteaux de soie, tout cela défilait le long de la rue de Kiev, sans compter les masses de piétons. Tout à coup, un cri qui vient d'une rue perpendiculaire : « Retiens-le, eh, retiens-le, ton cheval, gare, gare ! » — d'une voix forte et sûre de son bon droit. Comme malgré eux, les piétons se sont poussés, les équipages ont ralenti. Et qu'est-ce que vous croyez ? Un cocher loqueteux, debout sur un informe tapecul, traverse la rue à toute allure, criant sur une rosse étique et secouant le bout des rênes au-dessus de sa tête, avant que personne n'ait le temps de réagir. Même les factionnaires ont éclaté de rire dans leur guérite.

Si les équipages roulent dans la même direction, la dispute est plus prolongée ; l'offenseur essaie de semer l'autre ou de le laisser filer, celui-ci a quelquefois le temps de lui montrer qu'il a eu tort, et de prendre le dessus ; d'ailleurs, quand ils roulent dans la même direction, la victoire reste à celui dont les chevaux sont les plus rapides.

Dmitri, encore qu'il aime le risque et n'ait rien contre les injures, est un cœur d'or, il a pitié de la bête. Il utilise le fouet non comme moyen d'incitation mais de correction, c'est-à-dire qu'il ne presse pas avec le fouet. Ce fait entache sa dignité de cocher de ville, même si, ne voyant pas son trotteur devant le porche, il « lui en donnera une ». J'ai eu l'occasion de le remarquer tout à l'heure : en passant d'une rue à l'autre, notre petit cheval nous a tirés avec ses dernières forces, et j'ai observé par les mouvements désespérés du dos, des bras, le bruit des lèvres, que Dmitri se trouvait dans une situation désagréable. Donner du fouet — ce n'était pas son genre. Et qu'aurait-il donc fait si le cheval s'était arrêté ? Il ne l'aurait pas supporté, même si, en l'occurrence, il n'y avait pas à craindre la raillerie de quelqu'un qui aurait demandé : « Faut-y le nourrir ? » Voici la preuve de ce que Dmitri agit plus par conscience du devoir que par vanité.

J'ai encore pensé beaucoup de choses sur les diverses variétés de relations entre cochers, sur leur intelligence, leur à-propos, leur fierté. Sans doute, quand ils se retrouvent tous ensemble, se reconnaissent-ils après s'être rentrés dedans, et, de haineuses, leurs relations deviennent-elles pacifiques. Tout est intéressant sur terre, surtout les relations dans les classes auxquelles nous n'appartenons pas.

Toutes ces relations se reportent très facilement aux autres relations de la vie. De même, je trouve intéressantes dans ce genre de conflits les relations des maîtres entre eux et des cochers. « Où tu vas, eh, patate ? », quand cela s'adresse à l'équipage tout entier, le voyageur s'efforce d'instinct de prendre un air sérieux, ou gai, ou insouciant — bref, un air qu'il n'avait pas avant ; on peut voir qu'il lui serait agréable que la situation soit inversée ; j'ai remarqué que les messieurs à moustache souffrent particulièrement des injures lancées contre leur équipage.

« Qui va là ? » — ceci fut crié par le factionnaire que j'avais vu le matin même profondément offensé, justement par un cocher.

Un carrosse stationnait devant un porche, en face de sa guérite. Un grand cocher à barbe

41

rousse, assis sur ses rênes et s'appuyant les coudes sur les genoux, se réchauffait le dos au soleil avec, — on le sentait bien — un plaisir extrême, parce qu'il n'en finissait plus de cligner des yeux. En face de lui, le factionnaire marchait de long en large devant sa guérite et, du bout de sa hallebarde, remettait droite une planche posée en travers d'une flaque d'eau devant sa petite palissade. Tout à coup, soit que le carrosse à l'arrêt lui ait déplu, soit qu'il ait été jaloux du cocher qui prenait si bien le soleil, soit qu'il ait eu envie de dire quelque chose, il a fait quelques pas derrière sa palissade, a regardé dans la ruelle et il a cogné la planche avec sa hallebarde : « Eh toi, qu'est-ce que t'as à stationner, tu bouches le passage. » Le cocher a entrouvert son œil gauche, toisant le factionnaire, et l'a refermé. « Circule, c'est à toi qu'on parle ! » — aucun effet. « T'es sourd, ou quoi ? — tourne, qu'on te dit ! » Le factionnaire, voyant que la réponse ne venait pas, a fait deux pas jusqu'à l'autre côté de la palissade, a regardé encore une fois dans la ruelle, et on voyait qu'il se préparait à dire quelque chose de définitif. C'est alors que le cocher s'est un peu redressé, a ramassé les rênes, et, tournant

vers le factionnaire ses yeux ensommeillés :
« Qu'est-ce t'as à bâiller, là ? T'es si con
qu'on t'a même pas donné un fusil, et tu
gueules, en plus. »

— Cocher !

Le cocher s'est réveillé et il a avancé le
carrosse.

J'ai regardé le factionnaire : il marmonnait
je ne sais quoi et il me regardait en colère ;
sans doute, cela lui était désagréable que j'aie
tout entendu, et que je le regarde. Je sais que
rien n'offense plus un homme au fond de lui-
même que le fait de lui donner à comprendre
qu'on a remarqué mais qu'on ne veut pas en
parler ; c'est la raison pour laquelle je me suis
troublé, j'ai eu pitié du factionnaire et je suis
parti.

Ce que j'aime dans Dmitri, c'est son
habileté à nommer son homme en un seul
mot ; cela me fait rire. « Gare, gare, chapeau,
va-t-en guerre, grosse barbe, va donc eh,
traîneau, lingère, maréchal-ferrand, va donc
eh, danseuse, moussieur ! » C'est étonnant
comme le russe sait trouver le nom qui
blessera le plus celui qu'il voit pour la
première fois, et pas seulement un homme

précis, — un état entier : le marchand devient un « grippe-chat », parce qu'il paraît que les marchands sont des écorcheurs de chats ; le laquais, un « lèche-plat » un « lappe-assiette » ; un paysan, un « Riourik », pour quelle raison, — je l'ignore ; un cocher, un « mors-aux-dents », etc., et j'en passe. Qu'un Russe se dispute avec un homme qu'il rencontre pour la première fois, il lui donnera un nom de baptême qui le frappera là où il a mal : nez tordu, diable borgne, canaille lippue, nez en trompette. Il faut l'avoir subi pour comprendre à quel point ils tombent toujours juste sur le point qui fait mal. Je n'oublierai jamais une injure que j'ai reçue en mon absence. Un homme a dit de moi : « Ah, c'est les « dents rares » ! Il faut savoir que j'ai des dents extrêmement mauvaises, gâtées et rares.

A la maison

Je suis rentré à la maison. Dmitri s'est dépêché de descendre pour ouvrir le portail, moi aussi, pour passer par la grille avant lui ; c'est comme ça à chaque fois ; je me dépêche de sortir, parce que j'en ai pris l'habitude, et lui se dépêche de m'amener juste devant le perron, parce qu'il a pris cette habitude-là. Pendant longtemps, personne n'a répondu à ma sonnette ; la chandelle charbonnait beaucoup et Prov, mon vieux laquais, était en train de dormir. Tout en sonnant, voilà à quoi je pensais : pourquoi est-ce que je déteste rentrer chez moi, quels que soient le lieu et les conditions ? Pourquoi est-ce que je déteste revoir ce même Prov à sa place immuable, revoir la chandelle, les mêmes taches sur les tentures, les mêmes tableaux, tellement que cela me rend triste ?

Surtout, ce sont les tentures et les tableaux qui m'exaspèrent, parce qu'ils ont une prétention à la diversité, mais qu'il suffit de les regarder deux jours de suite pour qu'ils soient pire qu'un mur blanc. Ce sentiment désagréable en rentrant provient sans doute de ce que je ne suis pas le genre d'homme né pour rester célibataire à vingt-deux ans. Comme ce serait différent si je pouvais demander à Prov qui vient de se réveiller, descend en tapant ses semelles (pour montrer, je suppose, qu'il entend depuis longtemps, et qu'il est un serviteur modèle) et qui m'ouvre la porte : « Est-ce que Madame repose ? » — « Non, Monsieur, Madame est au salon, Madame lit un livre ». Comme ce serait bien : je prendrais son joli visage dans mes mains, je le garderais devant mes yeux, je l'embrasserais, je le regarderais encore, avant un autre baiser ; et ce serait gai, de rentrer. Maintenant, la seule question que je puisse poser à Prov pour lui montrer que j'ai remarqué qu'il ne dort jamais quand je ne suis pas là, c'est : « Quelqu'un est venu ? » — « Personne ». A chaque fois que je lui pose une question de ce genre, Prov prend une voix plaintive, et, à chaque fois, j'ai envie de lui dire : « Pourquoi est-ce que ta voix est tellement plaintive ? Je suis très heureux qu'il n'y ait eu personne ». Mais je m'en abstiens, parce que Prov pourrait se vexer, et c'est un homme très digne.

D'habitude, le soir, j'écris mon journal intime, mon journal de Franklin* et je fais mes comptes.

Aujourd'hui, je n'ai rien dépensé, parce que je n'ai pas le sou, je n'ai donc rien à écrire dans mon cahier.

Les deux journaux, c'est une autre affaire : ce serait bien de les écrire, mais il est tard, je les vais les remettre à demain.

J'ai souvent entendu ces mots : « un homme vide, il vit sans but » ; je les ai dits, et je les dis souvent moi-même, non parce que je répète ce que les autres disent, mais parce que je sens au fond de moi que ce n'est pas bien, et qu'il faut avoir un *but* dans la vie.

Mais comment est-ce qu'on peut faire pour être « un homme plein et vivre avec un but ? ». Se donner un but est strictement impossible. Je l'ai déjà essayé maintes fois, sans succès. Le but, on ne peut pas l'inventer ; il faut le trouver de telle sorte qu'il

_____

(*) Forme de journal recommandée par Benjamin Franklin pour combattre ses faiblesses (N.d.T.).

corresponde aux inclinations de l'homme, qu'il ait existé de tout temps, et qu'on n'ait fait qu'en prendre conscience. Un but de ce genre, je crois que j'en ai trouvé un : l'éducation et le développement le plus large possible de toutes mes facultés. Le journal intime et le journal de Franklin sont les deux moyens conscients les plus efficaces. Dans le journal intime, je confesse jour après jour tout ce que j'ai fait de mal. Dans le journal de Franklin, j'ai divisé mes faiblesses en rubriques : paresse, mensonge, gloutonnerie, indécision, envie de parader, luxure, manque de *fierté,* etc., toutes sortes de petites passions de cet ordre : au fur et à mesure que j'écris le journal intime, je coche des croix dans les rubriques de l'autre.

J'ai commencé à me déshabiller et j'ai pensé : « où vois-tu l'éducation et le développement le plus large possible de toutes tes facultés, tes vertus, est-ce que c'est ce chemin qui te conduira à la vertu ? Où peut te mener ce journal qui ne te sert qu'à noter tes faiblesses quand elles n'ont pas de fin, quand elles s'ajoutent chaque jour les unes aux autres et qui, même si tu t'en débarrassais, ne te mèneraient pas à la vertu ? Tu ne fais rien que te tromper toi-même, tu joues de cela comme un enfant avec son jouet. Est-ce qu'il suffit pour devenir artiste qu'un artiste sache ce qu'il ne faut pas faire ? Est-il possible d'arriver à quelque chose d'utile par la négative, en s'abstenant simplement de ce qui est nuisible ? Il ne suffit pas à l'agriculteur de désherber son champ, il doit le labourer et le semer. Fais-toi des règles de vertu, et respecte-les. C'est ce que disait la partie de l'esprit qui s'occupe de la critique.

Je me suis mis à réfléchir. Est-ce qu'il suffirait d'anéantir la cause du mal pour que le bien existe ? Le bien est positif, pas négatif. Voilà pourquoi il est suffisant que le bien soit positif et le mal, négatif ; on peut anéantir le mal, mais pas le bien. Le bien est toujours dans notre âme, et l'âme est un bien ; le mal nous est inoculé. Si le mal n'existait pas, le bien fleurirait. La comparaison avec l'agriculteur ne marche pas ; lui, il doit semer et labourer, alors que dans l'âme, le bien est semé à l'origine. L'artiste doit s'exercer et il pourra atteindre l'art, s'il ne se met pas à suivre les règles négatives, mais il lui faut *(illisible)** du hasard. Pour s'exercer à la vertu,

_____
(*) Illisible dans le texte original (N.d.T.).

les exercices sont inutiles : les exercices, c'est la vie.

Le froid est l'absence de chaleur. L'obscurité, l'absence de lumière ; le mal, l'absence de bien. Pourquoi l'homme aime-t-il la chaleur, le bien ? Parce qu'ils sont naturels. Il y a des causes à la chaleur, à la lumière, au bien : c'est le soleil, c'est Dieu ; mais il n'y a pas de soleil froid et obscur, il n'y a pas de Dieu méchant. Nous voyons la lumière, les rayons de la lumière, nous cherchons la cause, et nous disons que le soleil existe. Cela nous démontre en même temps la lumière, la chaleur et la loi de l'attraction terrestre. Ceci, dans le monde physique. Dans le monde moral, nous voyons le bien, nous voyons ses rayons, nous voyons une même loi de l'attraction du bien vers quelque chose de plus haut, et cette source est Dieu.

Qu'on délivre le diamant de sa gangue grossière, on obtiendra l'éclat ; qu'on se débarrasse de l'enveloppe des faiblesses, on obtiendra la vertu. Mais est-ce que vraiment ce ne sont que ces pécadilles, ces faiblesses que tu notes dans ton journal, qui t'empêchent d'être vertueux ? N'y a-t-il pas de passions plus grandes ? Et puis, d'où vient qu'une telle multitude s'y ajoute chaque jour : le *mensonge à soi-même,* la *couardise,* etc., alors qu'il n'y a aucune amélioration solide, et pour beaucoup, même, aucun progrès. Cette remarque appartient encore à *(deux mots illisibles)**. C'est vrai qu'on peut ramener toutes les faiblesses dont j'ai fait la liste à trois catégories, mais puisque chacune d'elle comprend un grand nombre de niveaux, les possibilités combinatoires sont infinies : 1) la vanité; 2) la faiblesse de la volonté, 3) le manque d'intelligence. Et l'on ne peut pas rapporter toutes les faiblesses à une seule catégorie, car elles proviennent d'une réunion des trois. Les deux premières ont diminué, la dernière, vu son caractère indépendant, ne peut progresser qu'avec le temps. Par exemple, aujourd'hui, j'ai menti, sans raison, comme on pouvait le croire : on m'invitait à un déjeuner, j'ai refusé, puis j'ai dit que je ne pouvais pas parce que j'avais une leçon. « Une leçon de quoi ? » − « D'anglais », alors que c'était de la gymnastique. Les raisons : 1) manque d'intelligence, qui explique qu'on ne se rende pas compte

---

(*) Illisible dans le texte original (N.d.T.).

immédiatement qu'il est bête de mentir, 2) manque de fermeté, pour ne pas avoir dit la raison, 3) vanité idiote, de considérer qu'une leçon d'anglais est une meilleure excuse que la gymnastique.

Est-ce que la vertu réside dans la correction des faiblesses qui nuisent à votre vie ? La vertu serait donc dans l'abnégation − c'est faux. La vertu procure le bonheur parce que le bonheur procure la vertu. Chaque fois que j'écris mon journal intime avec sincérité, je n'éprouve aucune déception envers mes faiblesses ; il me semble que si je me les suis avouées, elles n'existent plus.

Agréable... J'ai fait mes prières et je me suis couché. Le soir, je prie mieux que le matin. Je comprends plus vite ce que je dis, et même, je le sens ; le soir, je n'ai pas peur de moi, − le matin, si − tant d'affaires m'attendent. Le sommeil est une chose merveilleuse dans toutes ses phases : les préparatifs, l'assoupissement et le sommeil lui-même. Je n'étais pas sitôt couché que je me suis mis à penser : quel plaisir de se couvrir bien chaudement et de s'oublier tout de suite ; mais dès que j'ai commencé à m'endormir, je me suis souvenu qu'il était agréable de s'endormir, et j'ai repris conscience. Tous les plaisirs du corps sont détruits par la conscience. Il ne faut pas être conscient, mais j'ai eu conscience que j'avais conscience, et j'étais lancé, et allez donc, et pas moyen de m'endormir. Zut, comme c'est contrariant ! Pourquoi est-ce que Dieu nous a donné la conscience, si elle ne sert qu'à empoisonner la vie ? Parce que, au contraire, on sent plus fort les plaisirs moraux quand on en est conscient. En réfléchissant ainsi, je me suis tourné de l'autre côté et je me suis découvert. Quelle sensation désagréable de se découvrir dans le noir. On a toujours cette impression : quelqu'un, ou quelque chose, va me saisir, va me toucher la jambe avec je ne sais quoi de froid ou de chaud. Je me suis recouvert bien vite, je me suis enroulé de tous les côtés dans la couverture, je me suis caché la tête et j'ai commencé à m'endormir en réfléchissant de la manière suivante :

« Morphée, accueille-moi dans ton étreinte ». Voilà une divinité dont je deviendrai le prêtre avec joie. Et tu te souviens comme la dame s'est vexée quand on lui a dit : « *Quand je suis passé chez vous, vous étiez encore dans les bras de Morphée* ».

Elle croyait que Morphée, André et

Malafée, c'est tout un. Quel drôle de nom !...
Mais c'est une belle expression, *dans les bras* ;
je m'imagine clairement, élégamment la
position *dans les bras,* − le plus clairement,
surtout, les *bras* eux-mêmes − des bras,
dénudés jusqu'aux épaules, avec des petits
creux, des petits plis, et une chemise blanche,
ouverte, et peu pudique. Comme les bras sont
bien, en général, surtout avec le petit creux,
là. Je me suis étiré. *Saint-Thomas* interdisait
qu'on s'étire. Il ressemble à Diedrichs. Fait du
cheval ensemble. Ça a été une belle battue,
quand tout à coup, à côté du commissaire,
Goelke a débusqué la bête, et Naliot les
attrapait tous, et à travers la forêt encore.
Sérioja en faisait une tête. Il est chez sa sœur.
Comme elle est bien, cette Macha − voilà la
femme qu'il faudrait ! Morphée aurait été
bon à la chasse, seulement, il faut courir tout
nu, sinon on peut même trouver une épouse.
Mince, qu'est-ce qu'il court, *Saint-Thomas,*
− et il y a déjà une demoiselle qui suit tout le
monde pour l'hallali ; seulement, elle a tort de
s'étirer, mais du reste, c'est bien, *dans les bras.*
Ici, sans doute, je me suis endormi complètement. Je voyais comment je voulais attraper
la demoiselle, tout à coup, une montagne, je

la pousse, je la pousse avec les mains, elle tombe (j'ai fait tomber mon oreiller) et je suis rentré manger à la maison. Pas prêt ; pourquoi ça ? Vassili fait le coq (c'est la patronne, derrière le mur, qui demande qu'est-ce que c'est que ce bruit, et la bonne lui répond, et moi, j'écoutais, c'est pour ça que j'en ai rêvé). Vassili arrive, tout le monde veut lui demander pourquoi ce n'est pas prêt mais Vassili est en redingote, un ruban en travers de l'épaule ; j'ai pris peur, je suis tombé à genoux, je pleurais, je lui baisais les mains ; ça m'était aussi agréable que de pouvoir lui embrasser les mains à elle, — encore plus. Vassili ne me prêtait aucune attention, quand il a demandé : « C'est chargé ? ». Diedrichs, le confiseur de Toula répond : « C'est prêt ! » — « Alors feu ! » On tire une salve. (un volet qui claque) — et, en avant la polka, moi avec Vassili, qui n'est déjà plus Vassili, mais elle. Soudain — horreur ! — je me rends compte que j'ai un pantalon si court qu'on voit mes genoux dénudés. Je ne peux décrire comment je souffrais (les genoux, qui s'étaient découverts pendant longtemps, je ne suis pas arrivé à les couvrir dans mon rêve, je les ai couverts à la fin). Mais ce n'était pas encore la fin ; nous dansons la polka, en présence de la reine de Wirtemberg ; tout à coup, je me mets à danser le kasatchok. Qu'est-ce qui me prend ? Je n'arrive pas à m'en empêcher. A la fin, on m'apporte mon manteau, mes bottes ; encore pire : je n'ai plus du tout de pantalon. Impossible que ce soit pour de vrai ; je dois être en train de dormir. Je me suis réveillé. Je m'endormais — je réfléchissais, puis j'en ai été incapable, je me suis mis à imaginer, mais j'imaginais des tableaux liés, puis mon imagination s'est endormie — seules sont restées des représentations obscures ; puis le corps s'est endormi à son tour. Le rêve est composé par la première et la dernière impression.

Il me semblait que maintenant que j'étais sous cette couverture, personne ne pouvait plus m'atteindre. Le sommeil est un état de l'homme où celui-ci perd entièrement conscience ; mais du fait qu'on s'endort graduellement, on perd conscience tout aussi graduellement. La conscience est ce qu'on appelle l'âme ; mais on appelle « âme » quelque chose d'uni, alors qu'il existe autant de consciences qu'il existe de parties séparées dans l'être humain. Il me semble que ces parties sont au nombre de trois : 1) l'intellect, 2) les sens, 3) le corps. Le n° 1 est le plus élevé, et cette conscience n'appartient qu'aux hommes évolués, les bêtes et les hommes bestiaux ne peuvent en disposer ; c'est le premier à s'endormir ; le n° 2, la conscience du sens, qui n'appartient aussi qu'à certaines gens, s'endort à la suite ; le n° 3, la conscience du corps, s'endort en dernier, et rarement tout à fait. Les bêtes ne connaissent pas cette gradation ; de même, chez les gens qui se trouvent dans une position où ils perdent conscience, après des émotions fortes ou en état d'ivresse. La conscience du sommeil réveille à l'instant même.

Le souvenir du temps que nous passons dans notre sommeil n'émane pas de la même source que les souvenirs de la vie réelle, — de la mémoire, en tant que faculté de recréer nos impressions, mais de notre faculté à regrouper ces impressions. A l'instant du réveil, nous ramenons à une unité toutes les impressions que nous avons éprouvées pendant l'assoupissement et le sommeil (l'homme ne dort presque jamais complètement), sous l'influence de l'impression qui a conditionné notre éveil, éveil qui se déroule de la même manière que l'assoupissement, c'est-à-dire graduellement, depuis la faculté la plus basse jusqu'à la plus haute. Cette opération se déroule si vite qu'il est difficile d'en prendre conscience et, habitués à des suites logiques comme à une forme de temps dans laquelle se déroule la vie courante, nous prenons cette rencontre d'impressions pour un souvenir du temps que nous avons passé à dormir. Comment expliquer que vous voyiez un rêve très long et qui se termine par la circonstance qui vous a réveillé ? — vous rêvez que vous allez à la chasse, vous chargez le fusil, vous levez du gibier, vous visez, vous tirez, et le bruit que vous prenez pour votre tir est la carafe d'eau que vous avez renversée dans votre sommeil. Ou bien, vous venez voir votre ami X..., vous l'attendez, puis un domestique arrive et vous apprend : X... est là ; dans la réalité, c'est votre domestique qui vous le dit, pour vous réveiller. Pour vérifier la justesse de tout ceci, n'allez pas croire aux rêves que vous racontent ceux qui ont toujours vu quelque chose, et quelque chose de toujours signifiant et intéressant.

L'habitude de tirer des conclusions de leurs

rêves d'après les dires des voyantes, fournit à ces gens une forme familière, à laquelle ils ramènent tout ; leur imagination ajoute ce qui manque et ils rejettent tout ce qui n'entre pas dans cette forme. Par exemple, une mère vous racontera qu'elle a vu que sa fille s'envolait au ciel et disait : « Adieu, Maman, je vais prier pour vous ! », alors qu'elle a simplement vu que sa fille grimpait sur le toit, sans rien dire du tout, et que la-dite fille, une fois arrivée au sommet est brusquement devenue le cuisinier Ivan et a dit : « Et vous, vous êtes pas capable ».

Ou peut-être que par la force de l'habitude, leur imagination leur représente ce qu'ils sont en train de raconter, ce qui, de toute façon, sert de preuve à ma théorie des rêves...

Si vous voulez y croire, essayez sur vous-même : rappelez-vous vos pensées pendant l'assoupissement et le réveil, et si quelqu'un vous a regardé dormir et peut vous raconter les circonstances qui ont pu vous influencer, vous comprendrez pourquoi vous avez vu telle chose et pas telle autre. Ces circonstances sont si multiples, liées à la constitution, à l'estomac, à des causes physiques, qu'on ne peut les citer toutes. Mais il paraît que lorsque nous rêvons que nous volons ou nageons, cela signifie que nous grandissons. Remarquez pourquoi vous nagez un jour et vous volez un autre ; souvenez-vous de tout, vous l'expliquerez sans problème.

Si une dame qui, comme je le disais, a l'habitude d'interpréter les rêves avait pu voir le mien, voici comment elle l'aurait raconté : « J'ai vu que *Saint-Thomas* était en train de courir, de courir pendant très longtemps, et moi, j'avais l'air de lui dire : « Pourquoi est-ce que vous courez ? » — et lui, il me dit : « Je cherche une fiancée ». Eh bien, je parie que, soit il va se marier, soit tu vas recevoir une lettre de lui... »

Remarquez encore qu'il n'existe pas de progression dans le temps pour les souvenirs. Si vous vous souvenez d'un rêve, vous savez ce que vous avez vu avant.

Pendant la nuit, on se réveille (presque toujours) plusieurs fois, mais les seules à se réveiller sont les deux consciences basses de l'âme : le corps et les sens. Puis, de nouveau, les sens et le corps se rendorment, et les impressions reçues pendant ce réveil se mêlent à l'impression générale du rêve, sans aucune espèce d'ordre ou de logique. Si la troisième conscience, la plus haute, celle de la compréhension, se réveille aussi, le rêve se trouvera divisé en deux moitiés.

Une autre journée (sur la volga)

3 juin

De Saratov, j'ai eu l'idée d'aller jusqu'à Astrakhan par la Volga. Premièrement, me disais-je, si le temps est mauvais, mieux vaut s'allonger la route que d'être secoué pendant sept cents verstes ; d'autant plus que les pittoresques rivages de la Volga, les songeries, le danger, tout cela est agréable et peut se révéler d'une grande utilité ; je me voyais poète, je revoyais les hommes et les héros qui me plaisaient et je me mettais à leur place, — en un mot, je pensais ce que je pense toujours quand je me lance dans quelque chose de nouveau : voilà, c'est seulement maintenant, ce n'était rien, une petite introduction, qui ne valait même pas qu'on s'en occupe. Je sais que tout cela est absurde. Combien de fois ai-je remarqué que je reste toujours le même et que je ne suis pas plus poète sur la Volga que sur la Voronka, que je ne fais que croire, que chercher, qu'attendre je ne sais quoi. Il me semble toujours quand je réfléchis s'il faut ou s'il ne faut pas que je fasse quelque chose : tu ne feras pas ceci, tu n'iras pas là-bas, et c'est là que le bonheur t'attendait, maintenant, tu l'as laissé filer à tout jamais. J'ai toujours l'impression que cela va commencer sans moi. C'est peut-être ridicule, mais c'est cela qui m'a obligé à aller à Astrakhan par la Volga. Avant, j'avais peur et j'avais honte d'agir pour des causes aussi ridicules, mais j'ai beau regarder ma vie passée, la plupart de mes actes n'ont pas de causes moins ridicules. J'ignore comment c'est pour les autres, mais je m'y suis habitué et je pense que les mots « futile, ridicule » n'ont plus de sens pour moi. Où donc seraient les causes « grandes » et « graves » ?

Je suis allé au débarcadère de Moscou et j'ai marché à côté des barques et des barges. « Dites, elles sont occupées, ces barques ? Il y en a une de libre ? » ai-je demandé à l'ensemble des hâleurs qui se trouvaient au bord de l'eau. « Et de quoi votre Excellence elle a besoin ? » m'a demandé un vieux paysan à longue barbe et en chapeau de feutre. « Un bateau jusqu'à Astrakhan. » — « Ben quoi, ça peut se faire... »

Achevé d'imprimer
le 3 novembre 1986
sur les presses de
l'Imprimerie A. ROBERT
24, rue Moustier
13001 Marseille
pour le compte
des Editions ALINEA
5, rue Félibre-Gaut
13100 Aix-en-Provence

Maquette : Horst Fasel

ISBN : 2-904631-29-1

Dépôt légal : 4e trimestre 1986